アリキーノ

ALICHINO

2

もくじ

漫画
咲坂こうの

原作
中村欽太郎

独占的《どくせんてき》な影響力《えいきょうりょく》

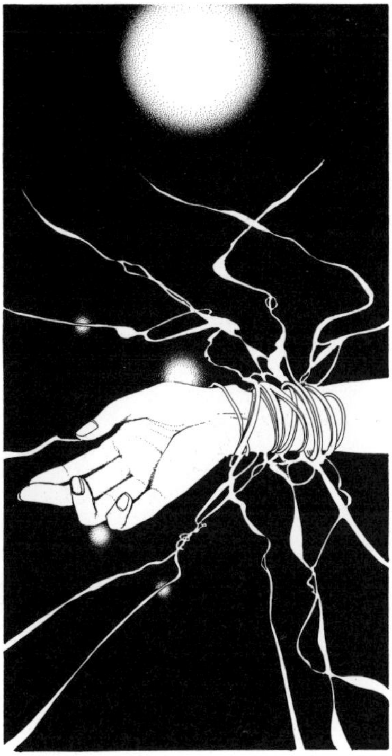

僕《ぼく》を呼《よ》ぶ
僕《ぼく》を包《つつ》み込《こ》む
僕《ぼく》を突《つ》き放《はな》す

第《だい》六章《しょう》　失意《しつい》

僕《ぼく》の中《なか》で
こっそりと優《やさ》しく君臨《くんりん》する
僕《ぼく》のなにもかもを

めちゃくちゃに壊《こわ》して。

登場人物《とうじょうじんぶつ》

優しいと同時に残酷、臆病であると共に凶暴。そして、どんな願いでも叶える生き物、アリキーノ。その代償は大きい。継邏は、「楔《くさび》の力」を持ち、子供のころのある忌まわしい記憶を、冥美によって消されていたが、自分がアリキーノに狙われる理由や、楔の力が人々に忌み嫌われる秘密を解き明かすため、記憶を呼び戻した。しかし継邏の脳裏によみがえったのは、母親の無残な死と、血を流し倒れていた幼い自分…という凄絶な記憶だった。その酷さに、継邏は精神を蝕まれていくが…。

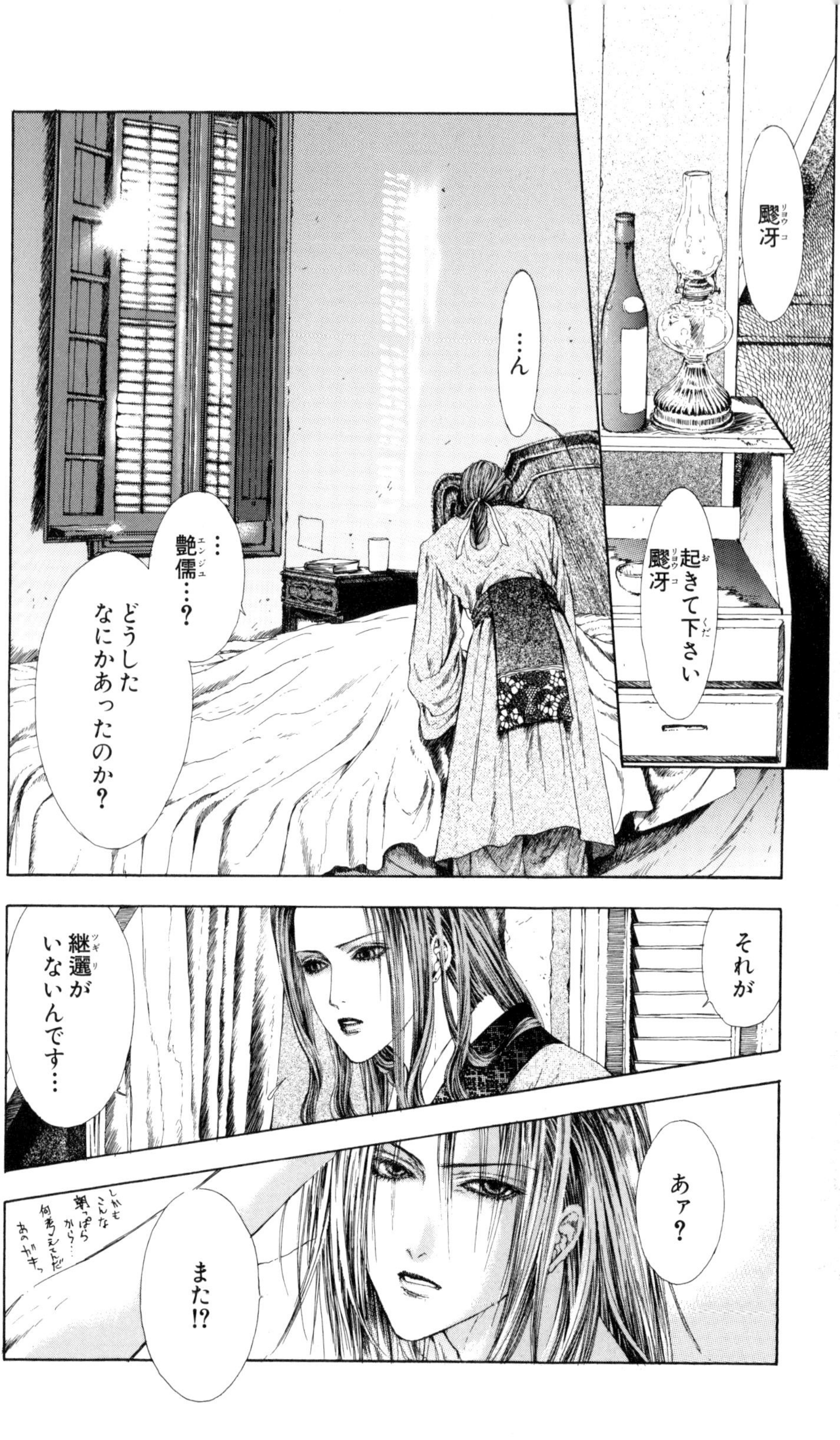

飂冴《リョウコ》
起《お》きて下《くだ》さい 飂冴《リョウコ》
…ん
…艶儒《エンジュ》…？
どうした なにかあったのか？
それが
継邏《ツギリ》がいないんです…
あァ？
また!?
しかもこんな朝っぱらから…何考えてんだあのガキっ

冥美《ミヨウビ》が側《そば》についているでしょうから心配《しんぱい》はないと思《おも》うのですが…
冥美《ミヨウビ》がいっしょだから心配《しんぱい》なんだよなオレは
何《なに》かあってからでは取《と》り返《かえ》しがつきませんので
わかったよ――
捜《さが》しに行《い》く
冥美《ミヨウビ》の居場所《いばしょ》なら手《て》に取《と》る様《よう》に判《わか》るからな
それにしても一体《いったい》どーなってんだ あいつ

一度《いちど》拒絶《きょぜつ》した記憶《きおく》を
無理矢理《むりやり》取《と》り込《こ》めば
精神《せいしん》が不安定《ふあんてい》になる
可能性《かのうせい》は十分《じゅうぶん》ありえると思《おも》うが…
あれじゃあ
まるで――

はた はた
もぞ
キイ
キイ
すら…
……
下級《かきゅう》の「誘う者《アリキーノ》」が懐《なつ》いたペットのように
まとわりついてやがる…
ちっ
ナニやってんだ
スッ
きっ

ギュダッ
ザクッ
ボトッ
ボト
サラ
サラ
…
…知《し》ってた？
こうするとね

とてもいい気分《きぶん》になるんだ
わらってるし…
へぇ…そりゃ良《よ》かった
けど もうその位《くらい》にしとけよ

艶儒《エンジュ》が心配《しんぱい》するだろ
心配《しんぱい》？
どうして？
僕《ぼく》は…いつも通《どお》りだよ

継邏《ツギリ》!
本来《ほんらい》「楔《くさび》」とはこんなものよ
冥美《ミョウビ》…
ただ一寸《ちょっと》自分《じぶん》をコントロールしきれなくて混乱《こんらん》してるみたいだけど
好《す》きにさせておけばいいわ
まったく
そうなるきっかけを作《つく》ったのはお前《まえ》だろっ
その方《ほう》が都合《つごう》いいでしょ
アリキーノが人間《にんげん》の魂《たましい》で強《つよ》くなるように

「楔《くさび》」はアリキーノの魂《たましい》を解放《かいほう》することで力《ちから》を得《え》るんだから
あらそう？
昔《むかし》の貴方《あなた》みたいで素敵《すてき》じゃない
ぶしゃっ
……見《み》ていて気分《きぶん》は良《よ》くねぇな
だから嫌《いや》なんだよ

大体《だいたい》おかしいぜ
奴等《やつら》の気配《けはい》は感《かん》じるのに現《あらわ》れるのはザコばかりだ
ザザッ
きっ
タタタ
この子達《こたち》は――……
「楔《くさび》」の魂《たましい》を手《て》に入《い》れようなんて大層《たいそう》なこと考《かんが》えてもいないわ
そんな知能《ちのう》もない
ただ花《はな》に誘《さそ》われる蝶《ちょう》のように継邇《ツギリ》の魂《たましい》の香《かお》りに引《ひ》きよせられているだけ
!
そして他《ほか》のアリキーノは互《たが》いに牽制《けんせい》しあってる
いかに周《まわ》りを出《だ》し抜《ぬ》くかいかに継邇《ツギリ》を手《て》に入《い》れるか
うっかり飛《と》び出《だ》したら共喰《ともぐ》いされかねないもの…
おい…!?
カラン…

継邏《ツギリ》！
艶儒《エンジュ》が…！
どうした!?
………

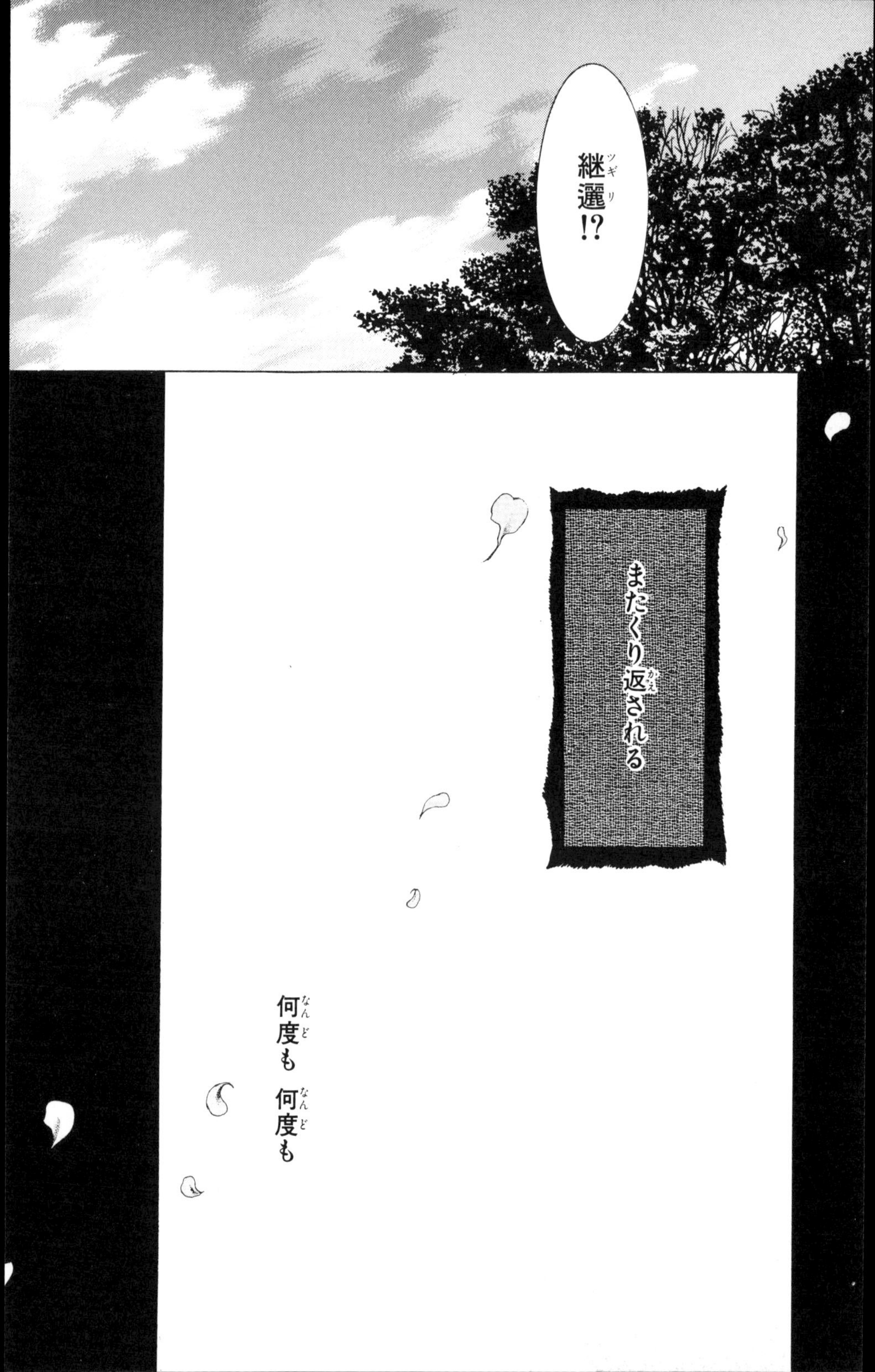
継邏《ツギリ》!?
またくり返《かえ》される
何度《なんど》も　何度《なんど》も

絶対《ぜったい》に──。
艶儒《エンジュ》…
思《おも》ったより早《はや》いお帰《かえ》りね
お待《ま》ちしていましたわツギリ!

私《わたくし》の名《な》は茉璃夏《マツリカ》…
瑯蕭稀《ロウショウキ》様《さま》の命《めい》で
お迎《むか》えに
参《まい》りました

！
ザッ…
…艶儒《エンジュ》に何《なに》をした!?
さぁ
何《なに》かしらね
その手《て》を離《はな》せ！
言《い》ったはずよ
私《わたくし》が欲《ほ》しいのは
あなただって！
……
いい？
これは警告《けいこく》なの

あなたが抗《あらが》う限《かぎ》り
一人《ひとり》ずつ消《き》えていくことになるわよ
あなたにとって大切《たいせつ》な人間《にんげん》だろうとそうでなかろうと…
――こんな風《ふう》に
ギリ…
!!
やめろっ

フフッ かわいいわ
この位《くらい》で ムキになるなんて
でも私《わたくし》はあなたの 気持《きも》ちなど どうでもいいの
さ
今一度《いまいちど》選択《せんたく》を どちらになさるのかしら

…どちらにせよ
あなたはきっと 瑯蕭稀様《ロウショウキさま》に 見《まみ》えることになる
最初《さいしょ》はあなたがその 輝《かがや》きを保《たも》っている間《あいだ》
そして最後《さいご》は あなたの血液《けつえき》が 腐敗《ふはい》する時《とき》に…
ただ一《ひと》つの違《ちが》いは その答《こた》えによって この者《もの》が生《い》きるか死《し》ぬかよ
艶儒《エンジュ》…!
先《さき》に… 艶儒《エンジュ》をはなせ

ツギリ！
まぁ…！
!?
茉璃夏《マツリカ》！
お前《まえ》…!!

楔《くさび》のまわりには色《いろ》んなのが集《あつ》まるのね！
知《し》ってるのか？
フ…たった今《いま》考《かん》えを変《か》えたわ
ザ————ッ…

——ッ…
これも私《わたくし》のものにするの どう？ 素敵《すてき》でしょう？
……
…ザザ…
それに
その方《ほう》がずっと面白《おもしろ》くなってよ
それでは ごきげんよう
待《ま》て…っ!!
くり返《かえ》す
僕《ぼく》が存在《そんざい》する限《かぎ》り

あの時《とき》の母《かあ》さんと同《おな》じように
艶儒《エンジュ》…っ!!
あの時《とき》の覓羅《ヒュラ》と同《おな》じように
何度《なんど》も。

第《だい》七章《しょう》 鍵《かぎ》

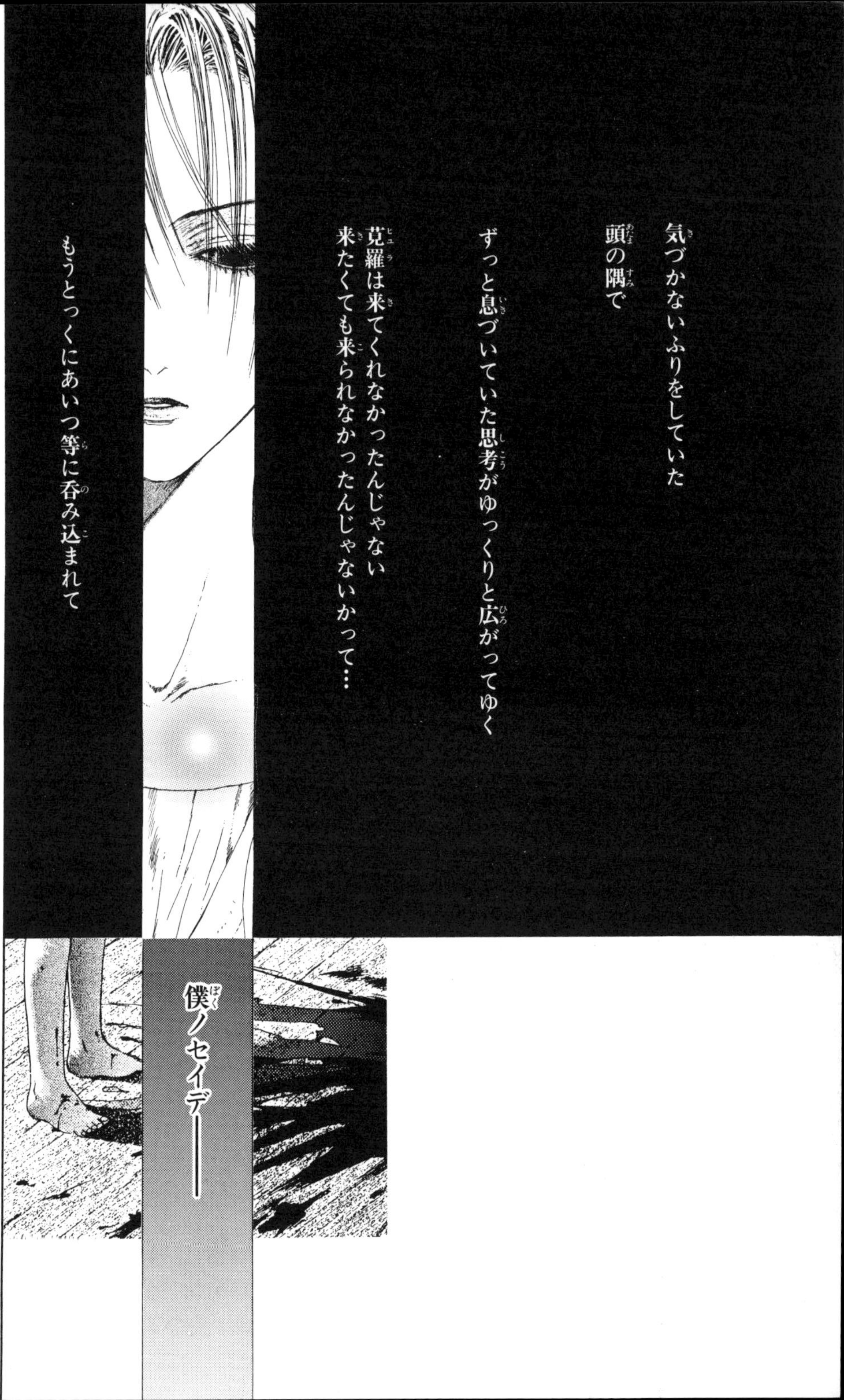
気《き》づかないふりをしていた
頭《あたま》の隅《すみ》で
ずっと息《いき》づいていた思考《しこう》がゆっくりと広《ひろ》がってゆく
莧羅《ヒユラ》は来《き》てくれなかったんじゃない
来《き》たくても来《こ》られなかったんじゃないかって…
もうとっくにあいつ等《ら》に呑《の》み込《こ》まれて
僕《ぼく》ノセイデ——

——また守《まも》れなかった
すぐ そばにいたのに…！
…艶儒《エンジュ》
あんな風《ふう》に終《お》わりが来《く》るのを待《ま》つのだけは嫌《いや》だ
もう くり返《かえ》したくない

あの女《おんな》一体《いったい》どういうつもりだ
今《いま》ごろになって自分《じぶん》から姿《すがた》を現《あらわ》しやがって冗談《じょうだん》じゃねぇ
茉璃夏《マツリカ》のこと？
他《ほか》にだれがいるんだよ分《わ》かってて聞《き》くな
あら
でも捜《さが》す手間《てま》が省《はぶ》けて良《よ》かったじゃない

毎回《まいかい》逃《に》げ足《あし》の速《はや》さだけは感心《かんしん》するわ
…しかも次《つぎ》は艶儒《エンジュ》かよふざけやがって！
——…
大丈夫《だいじょうぶ》か？
艶儒《エンジュ》
あの人《ひと》はそんなヤワじゃないわよ
私《わたし》よりよほどしたたかなんだから

でも変《へん》ね 茉璃夏《マツリカ》… 気《き》が変《へん》になったのかしら
他者《たしゃ》に仕《つか》えるなんて
普通《ふつう》なら有《あ》り得《え》ないわ
そう願《ねが》うぜ 問題《もんだい》はこれからどうするかだ
だって私達《わたしたち》「アリキーノ」は
自分《じぶん》こそが唯一《ゆいいつ》崇《あが》めるべき存在《そんざい》なんだもの

茉璃夏《マツリカ》の後《うし》ろにいる奴《やつ》の目的《もくてき》は
あなたならね♡
…ザ…
……
なんとなく見当《けんとう》つくぜ
ザーーッ…

絶《た》えず
生々《なまなま》しく
心《こころ》の中《なか》に
蟠《わだかま》る
ザーーッ
13。
…ふふ

「まだよ
まだ始《はじ》まったばかり」
29。
…ジジッ！
…ジ……
「私《わたし》は」

ザッ…
「何度《なんど》でも甦《よみがえ》るわ」
…44。
くす…
ビシャッ!
うふふ

「ソ・シ・テ」
ソシテ
ソシテ
ソシテ
永遠《えいえん》に？
そしてまた
あなたの前《まえ》に
現《あらわ》れるのよ
ふっ……
くくっ
あーーっはは
はははははは

ドカッ
飂《リヨウ》冴《コ》?

何度《なんど》同《おな》じ事《こと》を繰《く》り返《かえ》せば
終《お》わりが来《く》るんだろうな

コツ…
どこ行《い》くんだ継邐《ツギリ》！
！

しかもこんな夜中《よなか》に
………
決《き》まってるだろ茉璃夏《マツリカ》の後《あと》を追《お》うんだよ
どのみち
艶儒《エンジュ》は助《たす》けだす。
いつまでもここに留《とど》まっている訳《わけ》にはいかない
しょーがねえなーっっ

あいつ等《ら》の狙《ねら》いがお前《まえ》だってことは
解《わか》ってるよな
だからあんた達《たち》には迷惑《めいわく》かけないよ一人《ひとり》で…
やめとけ
お前《まえ》が一人《ひとり》で飛《と》び出《だ》したところで
死体《したい》が二《ふた》つになるだけだ

ぱしっ!
…っ
焦《あせ》って突《つ》っ走《ぱし》ったら向《むこ》うの思《おも》うつぼだって言《い》ってんだよ
じゃあどうしろって言《い》うんだ!?
じっとしていたって
何《なに》も解決《かいけつ》しない…!

おいおい 誰《だれ》も行《い》くなとは 言《い》ってないぜ
行《い》くにしても それなりの 準備《じゅんび》ってもんが あるだろーが
あと少《すこ》しは 頭使《あたまつか》え
利用《りよう》できるものは 何《なん》でも利用《りよう》する！
…利用《りよう》って 何《なに》を？

そうだな
たとえば…俺《おれ》
じ
――…
僕《ぼく》はまだ…
あんたを信用《しんよう》した
わけじゃ
ないんだけど
バンッ
お前《まえ》なっ!
いいかよく聞《き》け
艶儒《エンジュ》を助《たす》けたいと
思《おも》ってんのは
俺《おれ》だって
同《おな》じなんだよ!

だいたいだな 俺《おれ》を疑《うたが》うと いうことは
俺《おれ》を友人《ゆうじん》だと言《い》う 艶儒《エンジュ》をも疑《うたが》うことに なるんだゾっ！
…わかったよ
無茶苦茶《むちゃくちゃ》だ
確《たし》かにあんたが いた方《ほう》が助《たす》かるのは 事実《じじつ》だし…
でも

付《つ》いて来《き》たいんだったら
素直《すなお》にそう言《い》えばいいのに
ツギリ！
最後《さいご》に一《ひと》つだけ言《い》っとくぜ
どんなに外《そと》からの障害《しょうがい》があっても
内魔《ないま》には侵《おか》されんな
……内魔《ないま》？

自分自身《じぶんじしん》に負《ま》けるなってことだ
…ずっと前《まえ》に艶儒《エンジュ》が俺《おれ》に言《い》ってくれた言葉《ことば》さ

……うん
わすれないよ
でもどーせなら直接《ちょくせつ》本人《ほんにん》からききたかったかも
ボソッ…
なんかソンした気分…
こいつ…

第《だい》八章《しょう》 旅立《たびだ》ち

継邏《ツギリ》！
……
良《よ》かった…
彼女《ミョウビ》にあなたが出《で》るって聞《き》いてどうしてもお礼《れい》が言《い》いたかったの
あいつ…
ふふ
私は行かないわよ♥
それとも一緒に来てほしいの？
何かくれる？
お願いしますって言える？

僕《ぼく》は別《べつ》に
あんたの為《ため》に
やったわけじゃ
ないよ
あの
アリキーノが
許《ゆる》せなかった
だけで…
そう言《い》うと
思《おも》った!
でも…本当《ほんとう》に
感謝《かんしゃ》してるの
馬鹿《ばか》なことしなくて
良《よ》かったって
あなたは前《まえ》に
アリキーノは邪悪《じゃあく》で
狡猾《こうかつ》だって言《い》ったけど
人間《にんげん》に善人《ぜんにん》や悪人《あくにん》が
いるようにアリキーノ
にも…
〝いい〟アリキーノが
いるって私《わたし》は
信《しん》じたい
…兄《にい》さんの為《ため》に
そして
自分《じぶん》の為《ため》にも
………

一人《ひとり》で行《い》くの？
…いや
颷牙《リョウコ》と二人《ふたり》
気《き》をつけて…
そう…
それがいいわ
一人《ひとり》と二人《ふたり》では
大違《おおちが》いだもの
…そうだね
私《わたし》は手《て》をかさないわよ
でも呼《よ》べばすぐに
飛《と》んで行《い》くわ

もう少《すこ》し嬉《うれ》しそうな顔《かお》はできないの？
やっと動《うご》き始《はじ》めたのに
何《なに》言《い》ってんだバカ どうせやることは同《おな》じだろ
…行《い》ってくる
いってらっしゃい♡
——10年前《ねんまえ》……

こいつら何《なん》て数《かず》だ!?
あの子《こ》強《つよ》く誰《だれ》かを呼《よ》んでいるんだわ
だから「誘う者《アリキーノ》」達《たち》が同調《シンクロ》してよけいに引《ひ》き寄《よ》せられているのよ
でも変《へん》ねえ最初《さいしょ》にあの「楔《くさび》」をそっとしておこうと言《い》ったのは
あなたよ飂《リョウ》冴《コ》
ザ
あん時《とき》はこんな風《ふう》になるとは思《おも》ってなかったんだよ

邪魔《じゃま》をするな!
獲物《えもの》を横取《よこど》りする気《き》か
おどき!
邪魔《じゃま》なのはお前《まえ》たちよ
だいたい村《むら》の奴等《やつら》は何《なに》やってんだ!?
どうにかしようと思《おも》わねぇのか!
その村人達《むらびとたち》がこうなるように仕向《しむ》けた張本人《ちょうほんにん》だからに決《き》まってるでしょ
アリキーノは「楔《くさび》」が死《し》ぬのを待《ま》っているだけにすぎないわ

クソ共《ども》が
ザン
!
ザッ

どけっ!!

ズドシャッ
バサッ
じきに肉体《にくたい》のすべてが活動停止《かつどうていし》するわ
…ひでぇな…
いーから おりろ
カチャ
遅《おそ》かれ早《はや》かれいつかこうなると思《おも》っていたわ
ぎゃっ
今《いま》まで生《い》きていた方《ほう》がおかしいんだもの

ねぇ飂《リョウ》牙《コ》死《し》んだら…
私《わたし》が食《た》べてもいい？
ふざけんなお前《まえ》にならば助《たす》けられるだろーが
……この子《こ》は
死《し》にたがっているのに？

こんな最期《さいご》はないだろ
こんな…生《い》きるより死《し》んだ方《ほう》がマシだと思《おも》うような終《お》わり方《かた》なんか
…だからだよ!
……くだらないこと心配《しんぱい》するのね
死《し》んだらどっちだって同《おな》じよ

「せっかくの死《し》ぬチャンスだったのにね…」
…昨日《きのう》のことのように鮮明《せんめい》なくせに
もうずい分前《ぶんまえ》のことなんだよな
当然《とうぜん》か…
飂《リョウ》冴《コ》！
オーイ…

──ッ……
…ザッ…
嫌《いや》になる程《ほど》
僕《ぼく》の目《め》には
綺麗《きれい》に映《うつ》る……
……
完璧《かんぺき》すぎて不自然《ふしぜん》な美《び》
子供《こども》の頃《ころ》からこういう
キレイさは大嫌《だいきら》いだった

ザーーー
「誘《アリキーノ》う者」が…
人間《にんげん》を引《ひ》っ掛《か》ける為《ため》の擬態《ぎたい》だからな
お前《まえ》の向《む》かって行《い》くところだろ えらくご執心《しゅうしん》だしな
こいつらどこへ行《い》く気《き》なんだ？
そりゃぁ…
ま どこ行《い》ったって同《おな》じだ アリキーノは人間《にんげん》がいる所《ところ》ならどこにだっている

…僕《ぼく》は来《く》る者《もの》は拒《こば》まないよ
でも去《さ》ることは許《ゆる》さない

僕《ぼく》を狙《ねら》う「誘う者《アリキーノ》」にとって僕《ぼく》は死《し》に場所《ばしょ》になるんだ
…なんてね
フ…
やすやすと奴等《やつら》の思《おも》い通《どお》りになるのはつまらないだろ？

………
だんだん冥美《ミヨウビ》に似《に》て来《き》たな お前《まえ》…
なんだそれ!?
いや・べつに…(笑)

ALICHINO

彼等《かれら》は
それが
ひょっとして
幸運《こううん》に恵《めぐ》まれるとでも
思《おも》っているのかしら
こんなに
危《あぶ》なっかしい戯《たわむ》れを
始《はじ》めようというのに…
ふふ…
さぁ次《つぎ》は
どんな風《ふう》に
私《わたし》を殺《ころ》して
下《くだ》さるの？
とても
楽《たの》しみだわ…

第《だい》九章《しょう》 月《つき》の天使《てんし》

茉璃夏《マツリカ》は
僕達《ぼくたち》から
逃《に》げる事《こと》を
目的《もくてき》としていない
明《あき》らかに追《お》われる事《こと》を面白《おもしろ》がっている
たとえ
見失《みうしな》っても
人《ひと》の死《し》を以《もっ》て
自分《じぶん》の
存在《そんざい》を知《し》らしめる

さも楽《たの》しそうに――

第《だい》九章《しょう》　月《つき》の天使《てんし》

颸《リョウ》冴《コ》
茉《マツ》璃《リ》夏《カ》はここにはもういないな
だろうなっ!!
わっ!!
ガッ!!
ザア…ッ

はぁ…
茉璃夏《マツリカ》の去《さ》った後《あと》は
死《し》の海《うみ》…
惑《まど》わし
落《お》としめるのではなく
一方的《いっぽうてき》に破壊《はかい》する
それも ほとんど何《なん》の理屈《りくつ》もなしに
こりゃ「誘う者《アリキーノ》」にとって
魂《エサ》の山《やま》だな…
…生《い》き残《のこ》った人達《ひとたち》は皆《みな》逃《に》げたのかな
だといいな
絶望《ぜつぼう》を味《あじ》わった人間《にんげん》はアリキーノに取《と》り込《こ》まれやすい
いやっ…来ないで
!!?
きゃ…

……
…ザッ

すぐ隣《となり》の村《むら》が
襲《おそ》われたっていうのに
ここは平和《へいわ》
そのものだな
それは
この町《まち》に
惟様《ユイさま》がいるからですわ
ユイ!?
……
なんでアイツが
ここにいるんだ?
しかも何《なに》
ユイ様《さま》つて…
継邏《ツギリ》!?

お前《まえ》真《ま》っ青《さお》だぞ！
…え？
気分悪《きぶんわる》いならすぐ言《い》え！
そうだな…先《さき》に宿《やど》を探《さが》した方《ほう》が良《よ》さそうだ
さっきの血《ち》の匂《にお》いがまだ僕《ぼく》の中《なか》に残《のこ》っている
しばらく休《やす》んでろ そこ勝手《かって》に動《うご》くなよ
………
なんてキレイ…
…あの

惟様《ユイさま》以外《いがい》にも
こんなに綺麗《きれい》な人《ひと》がいたのね…
大丈夫《だいじょうぶ》…ですか？ケガをしているの
…さっきちょっとね
あ…
まあ血《ち》が…
大丈夫《だいじょうぶ》かいお嬢《じょう》さん

す…すみません
ん…？
誰《だれ》かと思《おも》えば
珞紗《ラクシャ》ではないか
〜〜〜っ
惟《ユイ》様《さま》…!?

やっとここへ来《く》ることができたんだね
はい…
珞紗《ラクシャ》そちらは？顔色《かおいろ》がすぐれない様子《ようす》だが…
…僕《ぼく》は心配《しんぱい》いらない
今《いま》連《つ》れが宿《やど》を探《さが》しに向《む》かっているから
……
くすっ
イヤ…
これは失礼《しつれい》

あまりに美《うつく》しいので
私《わたし》はてっきり男装《だんそう》の麗人《れいじん》かと
君も人のこと言えないゾ…
!?
ちょっとショック
惟様《ユイさま》ったら
この方《かた》は私《わたし》を助《たす》けてここまでつれて来《き》てくれたんですよ

そうか…それは世話《せわ》に なったな 今日《きょう》はここで ゆっくりして行《い》くといい
では珞紗《ラクシャ》 私《わたし》はこれで
ス…!
あっ ユイさま～♥
惟様《ユイさま》が こんな 私《わたし》に…
…今《いま》の 人《ひと》は？

あの方《かた》がいらっしゃるからこの町《まち》の人々《ひとびと》は皆《みな》穏《おだ》やかに過《す》ごせるのです
あの時《とき》助《たす》けて頂《いただ》かなかったら
私《わたし》はもう2度《ど》と惟様《ユイさま》に会《あ》えなかったかもしれません
本当《ほんとう》に……
ありがとうございます
継邏《ツギリ》

お前《まえ》また
食事《しょくじ》残《のこ》しただろ
ちゃんと飯《めし》食《く》わないから
貧血《ひんけつ》になるんだぞ
じっ
見《み》ろ
この女《おんな》みてーな
細《ほそ》い腕《うで》!
飂《リョウ》牙《コ》まで
………あの娘《コ》に
お礼《れい》を
言《い》われた時《とき》
ゾッと
したんだ

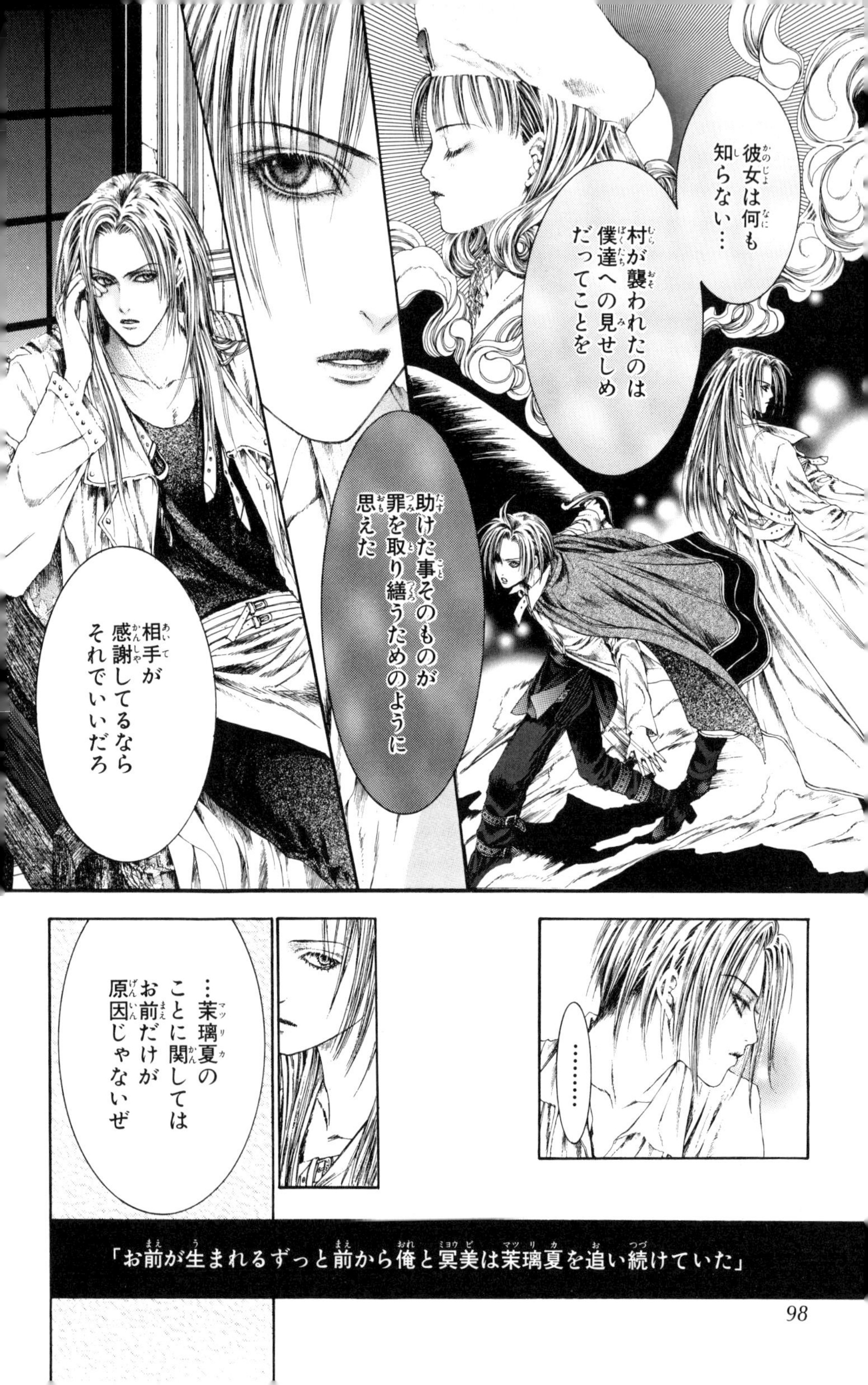
彼女《かのじょ》は何《なに》も知《し》らない…
村《むら》が襲《おそ》われたのは僕達《ぼくたち》への見《み》せしめだってことを
助《たす》けた事《こと》そのものが罪《つみ》を取《と》り繕《つくろ》うためのように思《おも》えた
相手《あいて》が感謝《かんしゃ》してるならそれでいいだろ
………
…茉璃夏《マツリカ》のことに関《かん》してはお前《まえ》だけが原因《げんいん》じゃないぜ
「お前《まえ》が生《う》まれるずっと前《まえ》から俺《おれ》と冥美《ミョウビ》は茉璃夏《マツリカ》を追《お》い続《つづ》けていた」

…ずっと?
オレはいくつに見《み》える?
肉体年齢《にくたいねんれい》は見《み》たとおり24
でもそれより更《さら》に数《すう》十年《ねん》生《い》きている
冥《ミヨウ》美《ビ》と契約《けいやく》を交《か》わした時《とき》からな
それは…
「誘う者《アリキーノ》」の主《マスター》になる為《ため》に?

いや……
魂《たましい》と力《ちから》、および時《とき》の共有《きょうゆう》。
今《いま》までとは比《くら》べものにならない程《ほど》の
圧倒的《あっとうてき》な個体《こたい》。
それは契約《けいやく》した結果《けっか》であって目的《もくてき》じゃない

けれどその代償《だいしょう》は――…?

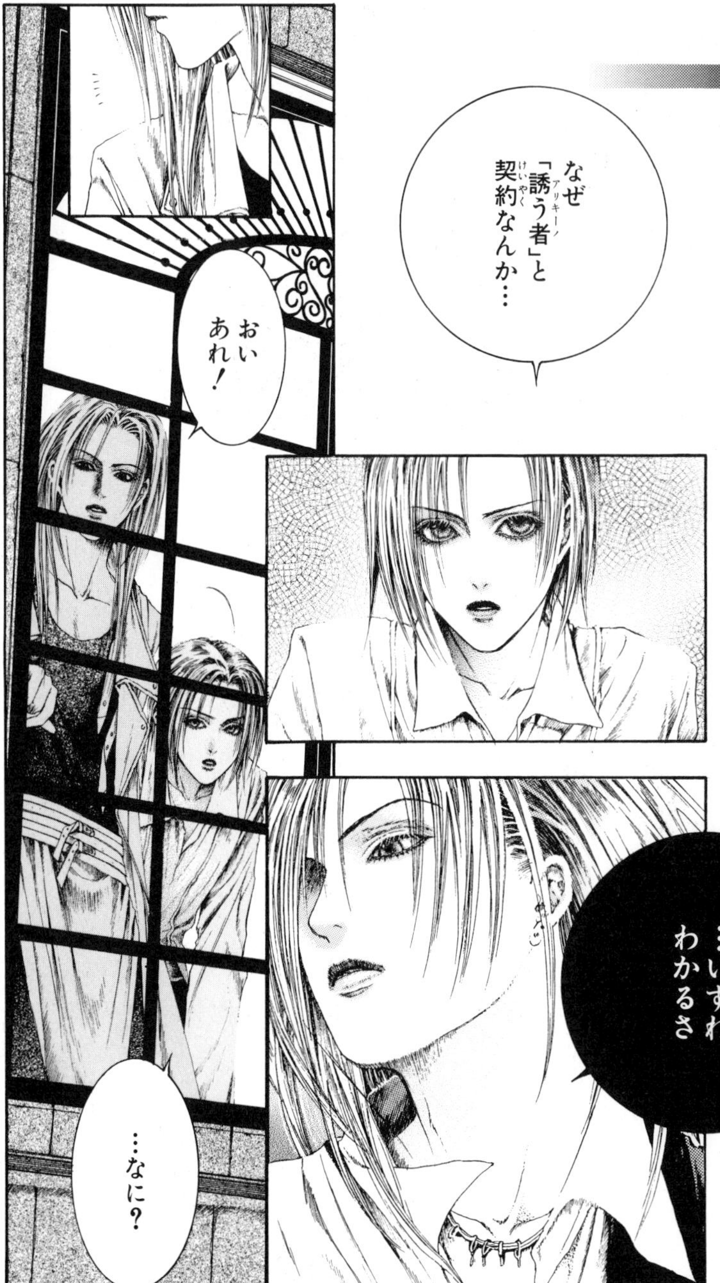
なぜ
「誘う者《アリキーノ》」と
契約《けいやく》なんか…
おい
あれ!
…いずれ
わかるさ
…なに?

!?
こんな時間《じかん》にどこへ行《い》く気《き》なんだ…

第《だい》十章《しょう》 魅力《カリスマ》

コオォオオオオ
さすが「楔《つぎり》」と言《い》うべきか…
その存在《そんざい》だけで次々《つぎつぎ》と「誘う者《アリキーノ》」達《たち》をひきよせる

ここに私《わたし》がいるにもかかわらず――
想像《そうぞう》以上《いじょう》の魅力《みりょく》だな

惟《ユイ》様《さま》…？
待《ま》っていたよ

珞紗《ラクシャ》…
実《じつ》は少《すこ》し心配《しんぱい》していたのだ
そなたがまた私《わたし》を思《おも》い出《だ》してくれるかを
……嘘《うそ》つきねユイ様《さま》
なぜ?

貴方《あなた》の元《もと》へ来《く》るのを私《わたし》がどれ程《ほど》待《ま》ち望《のぞ》んでいたか以前《いぜん》からよく知《し》っているはず……
……
そなたは何《なん》のかけひきもせず
その上《うえ》
私《わたし》もこの日《ひ》が来《く》るのをとても楽《たの》しみにしていた

少《すこ》しも
私《わたし》を
恐《おそ》れない
そなたが願《ねが》った以上《いじょう》に…

胸騒《むなさわ》ぎがする。
あの娘《こ》はこんな夜《よる》に一人《ひとり》でどこへ…
きょろ
「絶望《ぜつぼう》を味《あじ》わった人間《にんげん》はアリキーノに取《と》り込《こ》まれやすい」
考《かんが》えすぎかもしれない。
けど僕《ぼく》の近《ちか》くにいるということは「誘う者《アリキーノ》」の側《そば》にいるのと同《おな》じことだ。

…それに
何《なに》かひっかかる
廃墟《はいきょ》となった村《むら》の中《なか》で
妙《みょう》にこぎれいな生存者《せいぞんしゃ》。
――それだけじゃない
それとはまた別《べつ》の
何《なに》か…いい知《し》れない
違和感《いわかん》。
この町《まち》へ
来《き》てからずっと
消《き》えないいんだ
もしかして余計《よけい》な
心配《しんぱい》だつた?
剣まで持ってきて…
パサリ
…

!?
ドキッ…
……
まさか…っ
いつまで黙《だま》って
見《み》ている気《き》だ?

なぜだ？
昼間《ひるま》せっかく そなたの存在《そんざい》に 目《め》を瞑《つむ》ってやったのに
自分《じぶん》から飛《と》び込《こ》んで 来《く》るとは…よくそれで 今《いま》まで生《い》きてこれたものだ
なぜあの時《とき》 気《き》がつかなかった…!?

にこ
それとも…そなたも私《わたし》の洗礼《せんれい》を受《う》けたいのかね？
間《ま》違《ちが》いない
見《み》つけた以上《いじょう》は許《ゆる》さない！
チン
――この男《おとこ》は「誘う者《アリキーノ》」だ！
…ふ どう許《ゆる》さんつもりだ この私《わたし》を消《け》すとでも？
そなたの場合《ばあい》…

自身《じしん》の心配《しんぱい》をした方《ほう》がよいぞ
「そなたが私《わたし》に気付《きづ》けなかったのは当然《とうぜん》のことだ」
「ここは私《わたし》の領域《りょういき》なのだから」

タン!
それにもう一《ひと》つ
ピリッ
ドサッ
私《わたし》の方《ほう》がそなたより力《ちから》が上《うえ》だという事《こと》も含《ふく》めてな
!

……じつに惜《お》しい♡

私《わたし》は「楔《くさび》」に触《ふ》れることはおろか会《あ》うのも初《はじ》めてだが
他《ほか》の「誘う者《アリキーノ》」たちが盲目的《もうもくてき》に手《て》に入《い》れたがるのが今《いま》なら少《すこ》し分《わ》かる

はなせっ…
目《め》の前《まえ》のものに夢中《むちゅう》になるとまわりが見《み》えなくなるのは相変《あいか》わらずだな ユイ
オレの記憶《きおく》によればお前《まえ》は女《おんな》にしか興味《きょうみ》ないハズだったよなァ
それともナニ シュミ変《かわ》った?

颷《リョウ》牙《コ》!
久方《ひさかた》ぶりだな やはりこの町《まち》に 来《き》ていたのか
どうりで 嫌《いや》な気《き》を 感《かん》じるはずだ

そりゃどーも
…知《し》ってるのか？
えっ!?
あいつはどうするんだ 放《ほう》っておくのか!? あの娘《こ》は…！
何《なに》言《い》ってるんだ 飂《リョウ》冴《コ》!?
まーな… ほら行《い》くぞ
…多分《たぶん》俺達《おれたち》が何《なに》をやっても 自己満足《じこまんぞく》で終《お》わるぜ
その娘《こ》にとっては救《すく》いにならない

第《だい》十一章《しょう》 存《そん》在《ざい》

「その娘《こ》にとっては救《すく》いにならない」
そいつの場合《ばあい》は他《ほか》の奴《やつ》とは違《ちが》うんだよ
……!? どういうイミだ
ちがう?

何《なに》も知《し》らない人間《にんげん》をそそのかして取《と》り込《こ》もうとすることが
他《ほか》のアリキーノとどう違《ちが》うって言《い》うんだよ
お前《まえ》は…
どれだけ彼女《かのじょ》がお前《まえ》を慕《した》っていたか知《し》ってるのか

くす
おかしなことを言《い》う
当然《とうぜん》だろう
だから洛紗《ラクシャ》を選《えら》んだのだ

ALICHINO
いつから…?
いつから私《わたし》は——
朝《あさ》目《め》覚《ざ》めるのが
こわくなくなったのかしら?
世界《せかい》の全《すべ》てが変化《へんか》して
私《わたし》がわたしで
良《よ》かったと
思《おも》うようになったのは
惟《ユイ》さま…?
!!
はっ

…なぜ2人《ふたり》が戦《たたか》っているの!?
どうして!?
やめて!
惟《ユイ》さま…っ!

なぜそいつの肩《かた》を持《も》つんだ?
何《なに》があったの? どうして…
私《わたし》なら大丈夫《だいじょうぶ》だ
君《きみ》はだまされてるんだよ!
そいつは「誘う者《アリキーノ》」だ

知《し》っているわ
私《わたし》にとってかけがえのない方《かた》には変《か》わりないから…
でもそんなことどうでもいいの
!
ずっとずっと——

誰《だれ》も私《わたし》を
必要《ひつよう》として
いなかった
私自身《わたしじしん》さえ
だれ…!?
「おかしな娘《むすめ》だ 私《わたし》を呼《よ》んだのは そなたではないか」
でもいいの
生《う》まれ変《か》わったら 次《つぎ》は幸《しあわ》せに なるから…
「それに来世《らいせ》で幸福《こうふく》に なっても それは また別《べつ》のそなただ 今《いま》の己《おのれ》の意識《いしき》が ないのだから 意味《いみ》が ないと思《おも》わぬか?」
「なぜ? 今幸《いましあわ》せになれば 良《よ》いだろう」
でも 今《いま》の 私《わたし》は…
たとえ身体《からだ》が 不自由《ふじゆう》でも

心《こころ》まで病《や》んでいるわけではあるまい
惟様《ユイさま》だけが
今《いま》のままの私《わたし》でいいと

まっすぐに私《わたし》を見《み》てくれた
惜《お》しみのない微笑《ほほえ》みで——
それがどれほどの救《すく》いだったか
私《わたし》にしかわからない

惟様《ユイさま》が何者《なにもの》かなんて関係《かんけい》ない
・・・・惟様《ユイさま》だから大切《たいせつ》なの
だから…傷《きず》つけないで私《わたし》のたった一《ひと》つの希望《きぼう》なの
たった一《ひと》つの
僕《ぼく》は…

サラ…
たとえ私《わたし》を消《け》しても洛紗《ラクシャ》を救《すく》うことはできんぞ
この町《まち》の者達《ものたち》は私《わたし》と共《とも》にしか存在《そんざい》できない
私《わたし》の元《もと》へ来《き》たいと願《ねが》った者《もの》だけが己《おのれ》の意志《いし》でここへ来《く》る
ツギリ

お前《まえ》は
何故《なぜ》私達《わたしたち》「誘う者《アリキーノ》」が
存在《そんざい》するか
考《かんが》えたことはあるか？

だから言《い》っただろ あいつの場合《ばあい》は 奪《うば》うのが目的《もくてき》じゃなく あるイミ生《い》かすための契約《けいやく》だ
…僕《ぼく》は 間違《まちが》ってたの?
ただ 助《たす》けたいと 思《おも》ったんだ
多分《たぶん》―― お前《まえ》は とっくの前《まえ》に あの娘《こ》を救《すく》ってたと 思《おも》うぜ

最初《さいしょ》に助《たす》けた時《とき》
二重《にじゅう》の意味《いみ》で

「ありがとうございました
これであの方《かた》の元《もと》へ
行《い》けます」

あの時《とき》すごく
いい顔《かお》してたもんな
憶《おぼ》えてるか？

……

でもそれは
「惟《ユイ》」という「誘う者《アリキーノ》」と
共《とも》にいることでしか保《たも》たれない

憶《おぼ》えてるよ…

きっと

ツギリは迷《まよ》い傷《きず》つき… それを乗《の》りこえる事《こと》によって ますます魂《たましい》を輝《かがや》かせていますわ
瑯《ロウ》蕭《ショウ》稀《キ》様《さま》

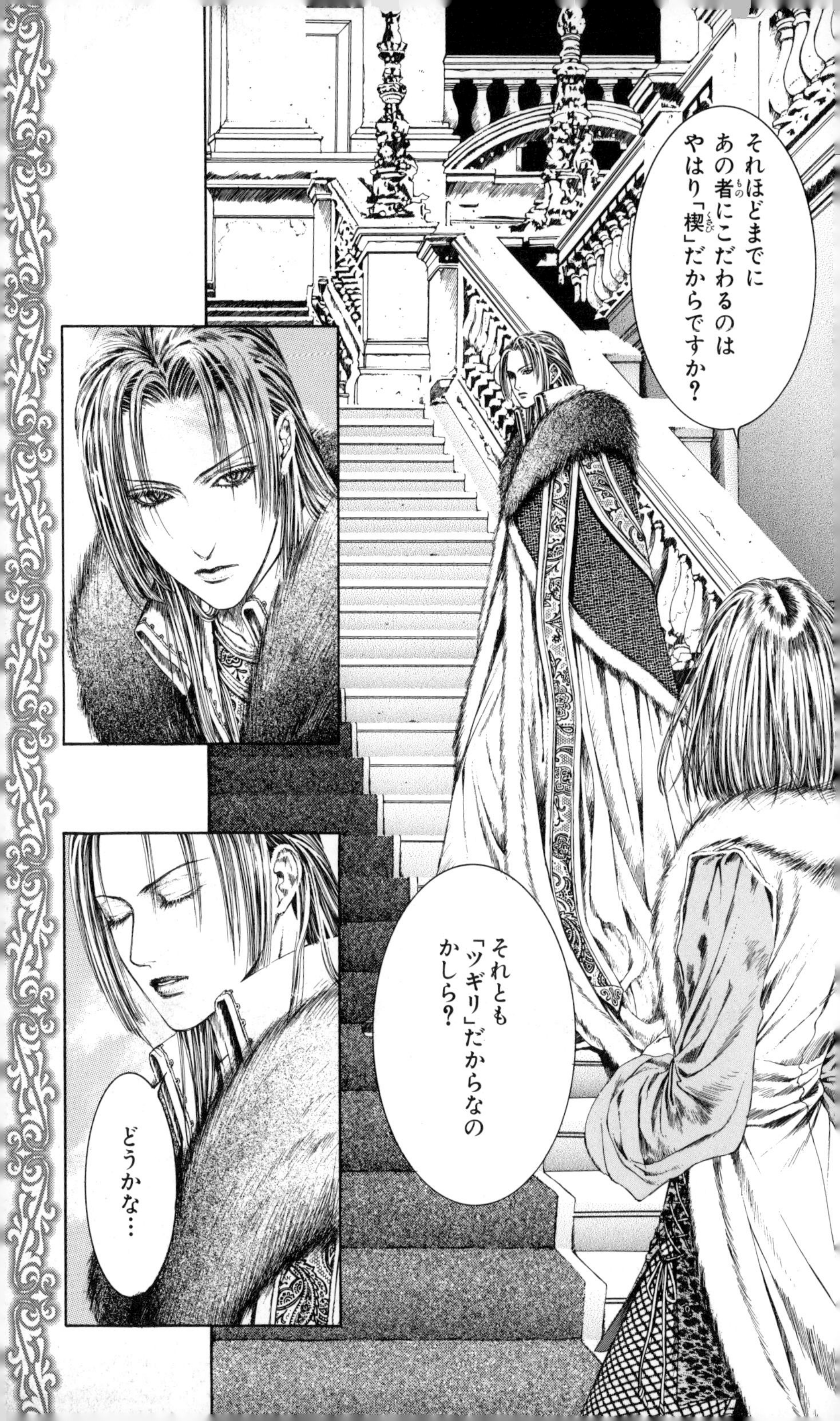
それほどまでに
あの者《もの》にこだわるのは
やはり「楔《くさび》」だからですか？
それとも
「ツギリ」だからなの
かしら？
どうかな…

どちらが欠《か》けても意味《いみ》をなさない
それは…
結局《けっきょく》ツギリでなければならないということね
カッ
〝楔《くさび》〟ならば他《ほか》にも存在《そんざい》する可能性《かのうせい》があるけど
〝ツギリ〟という人間《にんげん》はただ一人《ひとり》ですもの
ねぇ
お前《まえ》はどう思《おも》って?

◆オマケマンガ◆

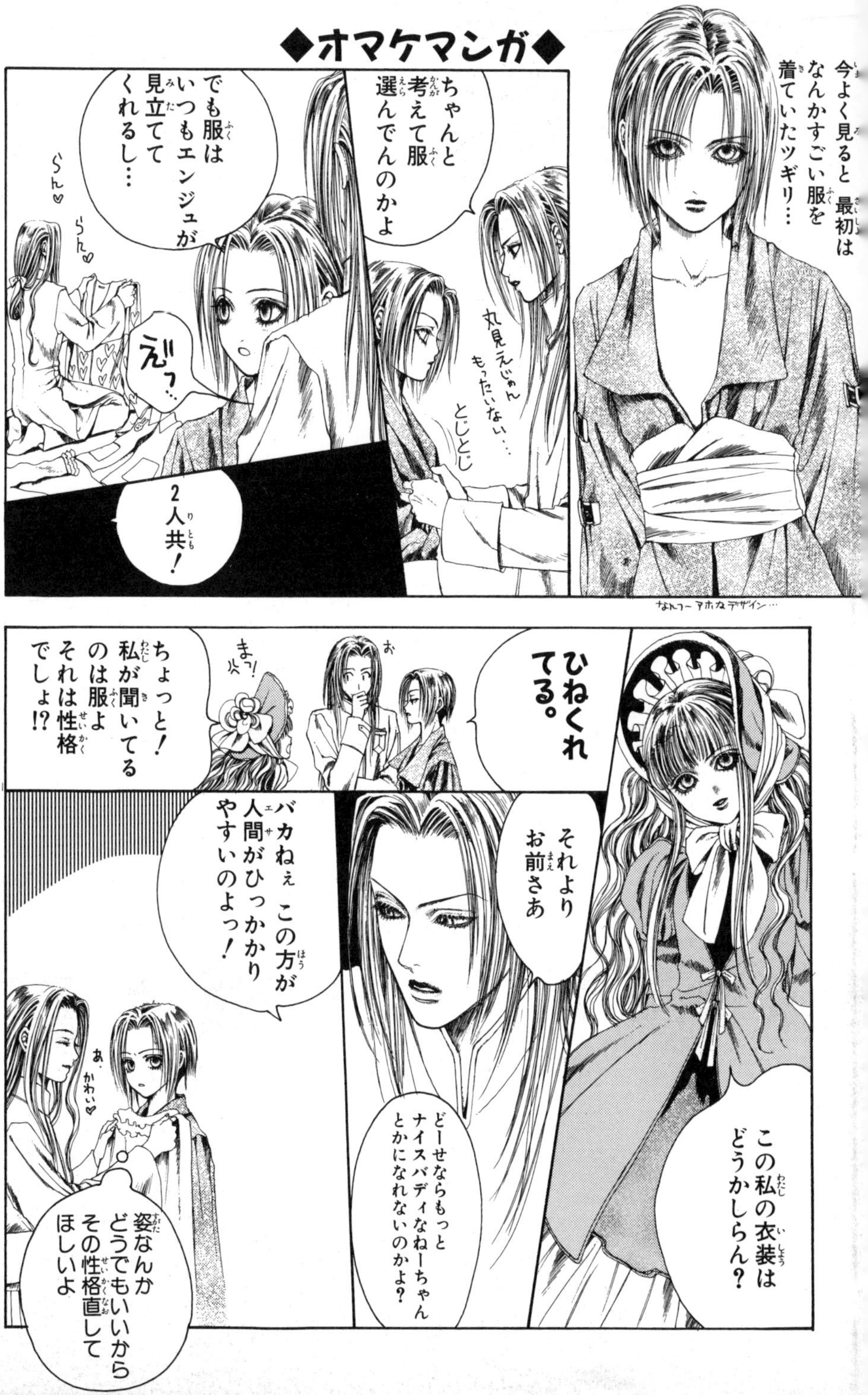
今《いま》よく見《み》ると 最初《さいしょ》は なんかすごい服《ふく》を 着《き》ていたツギリ…
なんつーアホなデザイン…
ちゃんと考《かんが》えて服《ふく》選《えら》んでんのかよ
丸見えじゃん もったいない…
とじとじ
でも服《ふく》はいつもエンジュが見立《みた》ててくれるし…
らん♡
らん♡
えっ…
2人共《りとも》!
ひねくれてる。
お
まっ!
ちょっと! 私《わたし》が聞《き》いてるのは服《ふく》よ それは性格《せいかく》でしょ!?
↑自分がわかってるし…
この私《わたし》の衣装《いしょう》はどうかしらん?
それより お前《まえ》さあ
どーせならもっとナイスバディなねーちゃんとかになれないのかよ?
バカねぇ この方《ほう》が人間《エサ》がひっかかりやすいのよっ!
あ、かわい♡
姿《すがた》なんかどうでもいいから その性格直《せいかくなお》してほしいよ

2度目の方も、初めましての方（いきなり2巻は買わないか）も、この本をお手に取って下さりありがとうございます。やっとですが2巻発売の運びとなりほっと一息です。良く考えると1巻の時よりハードでしたね…。普通は慣れて、よりスムーズになるのでは？と、思うのですが私の場合それは違うみたい（苦笑）
今回、コミックスにするにあたっていっぱい描き直しました。どうやら私は他の人から見ると絵に関してはムダなこと大好き人間らしいです。おかしいな…自分では普通のつもりなんですけど…。雑誌とは結構変わっている所があるので、見比べても面白いかも。
あっ、そういえば艶儒を「女性ですか？」と聞く方が何人かいましたが、オスですよ〜。柔らかなイメージの男性だったのですが、ただ描き分けがなっていないだけだたりして？（しかも年齢不詳）。キャラクターに対するイメージは本当に人それぞれで、感想を聞くのが楽しいです。これからも頑張りますので、気長に見守って頂けると幸いです。
あとはいつか、3Dのツギリや冥美をお披露目できたら良いと思ってます。
それでは、また次巻で…！

2000.2　珠黎こうゆ

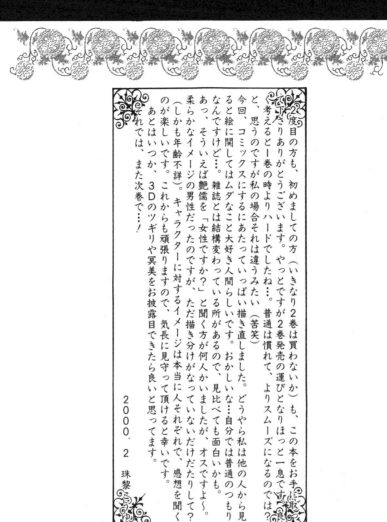

アリキーノ ALICHINO 2

2000年2月30日 第1刷発行

著者
珠黎こうゆ

発行人
川尻勝則

発行所
株式会社ホーム社
〒101-8050 東京都千代田区一ツ橋2-5-10
電話 編集 03(5211)2651

発売元
株式会社集英社
〒101-8050 東京都千代田区一ツ橋2-5-10
電話 販売 03(3230)6191
制作 03(3230)6076

印刷所
大日本印刷株式会社
Printed in Japan

ISBN4-8342-6128-X C9979

To be continued.